Gritar y Contar

por Debi Pearl

Sara Sú Aprende a "Gritar y Contar"

ISBN (Print): 978-1-61644-099-2

Publicado por:
No Greater Joy Ministries, Inc.
1000 Pearl Road
Pleasantville, TN 37033 USA

Escrito por Debi Pearl

Personajes creados por Debi Pearl
Ilustraciones por Benjamin Aprile
Pintura por Michael Pearl
Diseño por Lynne Hopewood

Todas las citas de la Escritura fueron tomadas de la Biblia Reina Valera 1960.

Sara Sú Aprende a Gritar y Contar podrá ser adquirido con descuentos especiales por escuelas, universidades, para regalos, para promociones, para levantar fondos, o para propósitos educativos. Licencias y acuerdos de derechos disponibles.

Impreso en Canadá.
Primera impresión en Inglés – Enero del 2011
Primera impresión en Español – Marzo de 2018

Toda petición de información requerida deberá ser dirigida a:
Administrador General
No Greater Joy Ministries, Inc.
1000 Pearl Road
Pleasantville, TN 37033 USA
www.noreaterjoy.org
1-866-292-9936

Este es un libro de No Greater Joy Ministries.

Para las muchachitas dondequiera que estén, ¡CUÍDENSE!

– Debi

Dong

Mamá dice: “¡Vamos afuera a jugar!
Éste es nuestro día especial.

Nos columpiaremos y resbalaremos,
Y juntos cantaremos.
Nuestros tambores tocaremos,
PUM PIM, pum pam, pum POM.

Títeres hay qué hacer.
Muy fácil puede ser.
Yo haré uno que se parezca a ti
Y tú uno que se parezca a mí”.

GLUE

Yo soy Sara Sú, y una **PISTA** te comento.
Los títeres son hechos con mucho pegamento.

Con lindas naricitas y ojos muy chistosos.
Sus bocas se abren y se cierran.
Sus rizos son hermosos y sus ojos pestañean.
Y pueden hacer reír a todos quienes vean.

Yo soy Sara Sú, y una **PISTA** te dejo:

Yo sé cosas que pueden proteger tu pellejo.

Son consejos que mamá una vez me contó.

Cuando era muy pequeña me enseñó.

Con empeño debes **ESCUCHAR** qué me platicó.

Estarás muy agradecida de escuchar asi como yo.

Esta es Sara Sú y su **PISTA** te cuenta.
Apréndela porque es muy cierta.

Lo que es tuyo, es tuyo.
Lo que es mío, es mío.
Recuerda eso y estarás bien.

Partes de tu cuerpo son especiales,
Nadie debe jamás tocarles.
Ellas son hechas sólo para ti.
Y es ley escrita en piedra para ti.

¡Ey pequeña Perlita!
¿Estás escuchando mi **PISTA**?
Deberías poner mucha atención,
¡Aprende todo de esta lección!

Mamá nos hizo shortcitos bombachitos.
Y para nuestros títeres hizo unos pequeñitos.
Ocultos de mirones, mantienen nuestros traseritos.

Es la cosa más inteligente que
puedes hacer.
Nos gustan bombachitos y
blancos pueden ser.
Y licras, cortas oscuras las
vas a querer.
Pero preferiremos usar los,
BOMBACHITOS
son los verdecitos.
con ROJOS GLOBITOS.

Yo soy Sara Sú y esta es la **PISTA**.

Nunca sabes quién te tiene en su vista.

Cuando subes por una escalera,

O cuando bajas por la resbaladera,

O si te columpias sobremanera,

Tus bombachitos te cubrirán,

De los mirones que te observarán.

Yo soy Sara Sú y tengo una **PISTA.**

Sabrás quién es malo por cómo se porta.

A veces hace cosas malas, ponte lista.
Podría sorprenderte, pero tú sigue la pista.
Y cuando juegas afuera, te tiene a la vista.
Ves un amigo pasando frente a ti y se te acerca.
Si te sonríe y dice que mucho le agradas, alerta.
Un secreto interesante dice que te contará,
Luego a un lugar secreto te llevará.
Muy escondida te querrá, donde nadie te verá.
Sabrás que él es el chico malo,
Por las cosas que te pedirá.
Tus partes privadas tocar deseará,
Y **NO** les es permitido, ni lo será.

Tú debes

CORRER y **CONTARLE** a mamá.

Ella ya sabe lo que hará

Ella lo buscará y él lo lamentará

No debió meterse contigo

y le pesará.

Yo soy Sara Sú, y esta es otra **PISTA.**

Y contarle a Mamá debe estar en tu lista.

El que te dice que eres una alegría.

Ser amigo de mamá tal vez podría.

Él parece ser MUY, pero MUY buen hombre.

Y cuando él te da un precioso juguete,

Apretadamente te sienta en sus piernas,

Fingiendo que le importas de veras.

Pero cuando no hay nadie más para verte

Ahí abajo él va a tocarte.

No importa quién sea el que se atreva y te toque,

Si hermano, niñita, amigo, o un muchachote

Cuando de esa manera algún día alguien te toque

GRÍTALO y **CUÉNTALO**.

Y no volverá a hacerlo.

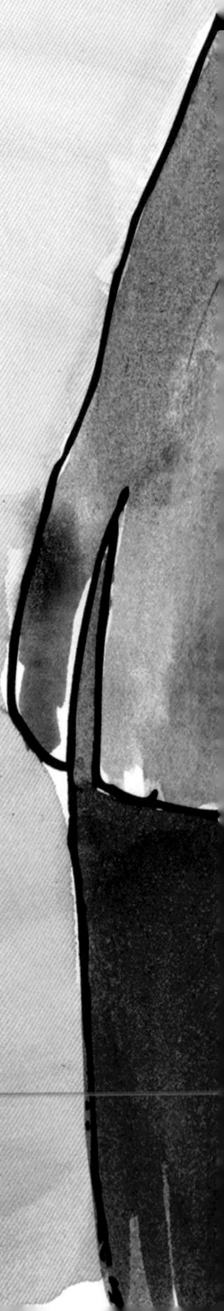

EYES

Yo soy Sara Sú, y te digo:

No guardes ni un minuto lo sucedido.

Señala con el dedo as chico bandido.

No puede defender como él ha procedido.

GRITA fuertísimo, **GRÍTALO** un rato.

Y su solitaria canción, cantará el gato.

Como cuando tocamos nuestros tambores,

PUM PIM, pum pam y pum **POM.**

Yo soy Sara Sú, y aquí está la **PISTA:**

Cuando cuentas del chico malo eres lista,

Y si sus secretos de chico malo revelas,

Más seguros estarán otros niños pequeños.

Como tú lo revelaste, ahora ya es uno menos.

Yo soy Sara Sú y te he enseñado mis PISTAS.

Ahora ya sabes tú, así que te previenes y gritas.

Muy bien mi pequeña Perlita,

Yo ya hice lo mejor que está de mi parte,

Pero lo único que haces es mirarme y sentarte.

¿Has aprendido algo ya de mi parte?

Yo considero que debo enseñarte

Cómo es que se hace esto.

Grita Perlita, haz tu chillido

¡GRITA!, como un molesto rechinido.

Y dile a tus piececitos,

¡CORRAN CONMIGO!

GLUE

¡DETENTE!

Yo soy Sara Sú, y recuerda la **PISTA**
Así nada malo te pasará, tú eres muy lista

Lo que es tuyo, es tuyo.
Lo que es mío, es mío.
Nadie jamás tocar o ver deberá
Recuerda eso, y todo bien estará.

Ahora te pregunto, pequeña Perlita.
¿Realmente gritarás ese grito aguerrido?
¿**GRITARÁS** ese chillido-alarido, tal cual rechinido?
¿Gritarás como lo haces cuando alguien te molesta?

¡ÓRALE!

El chillido-alarido como rechinido es el

¡GRITO!

¡Sí que funcionará! ¡Es muy aguerrido!

De veras has aprendido,

puedes **GRITAR** y **CONTAR.**

Estoy muy orgullosa de que sabes gritar.

GLUE

Yo soy Sara Sú, y te doy una **PISTA** a **TI:**

Estarás a salvo, ¡harás lo que sabes por ti!

Comenzaré justo ahora y lo diré yo tal cual,
Escúchenme niños y niñas todos por igual,
Protéjanse de las cosas del mal.

Normalmente se salvan, ¡los que están preparados!
Esto es muy sencillo,
Deben saberlo,
Deben **GRITARLO**, y siempre **CONTARLO.**

Ya has aprendido

Las **PISTAS** de Sara Sú.

Ahora ¡recuérdalas tú!

PISTA 1. Ser instruida sobre estas cosas te protegerá.

PISTA 2. Lo que es tuyo es tuyo, nunca nadie lo tocará.

PISTA 3. Nunca sabes cuando alguien te mirará.

PISTA 4. Sabrás que algunos son malos, por las cosas que harán.

PISTA 5. Deberás correr y contarle a mamá.

PISTA 6. Otros niños estarán más seguros, si dices quién es el malo.

PISTA 7. Las que están preparados, normalmente se salvan.

Hablan Sara Sú y su pequeña hermanita Perlita

¡Nosotras contamos CONTIGO!

No tengas vergüenza,

Y no temas nunca.

Siempre debes,

¡GRITAR y CONTAR!

¡Escuchen niños y niñas! Descarguen las páginas para colorear del libro **"Gritar y Contar"**, GRATIS.

www.nogreaterjoy.org/shop/bke-sara-sue-yell-and-tell-book

Papá y Mamá, aquí está tu **PISTA: Los que están preparados, normalmente se salvan.**

Se estima que la cantidad de niños que molestarán los pedófilos a lo largo de su vida sería de 400, en promedio. Los acosadores de niños normalmente son "personas comunes". Las estadísticas nos dicen que el 90% de los acosos o abusos, son perpetrados por un pariente o un amigo de la familia. Enséñale a tus hijos a estar alerta con los extraños. Tal vez preguntarás ¿Qué tal tus amigos, hermanos o incluso el Abuelo?

El acoso de menores está creciendo rápidamente. Ahora vemos hombres que previamente nunca habrían considerado tan perverso acto, comenzando a ser inundados con toneladas de pornografía, la cual los predispone a aceptar una pasión ilegal antes no considerada. Yendo más allá, en los años recientes, familias donde los niños fueron constantemente vigilados por la cuidadosa mirada de sus madres, ahora ellos son dejados en las manos de trabajadores de casas de asistencia para menores, o en manos de niñeras. Lo que es aterrador, es que ya ni siquiera el hogar es un lugar seguro, donde hay un constante vaivén de los "amigos de Mamá". ¿Qué esperanza tienen nuestros hijos?

Para empeorar la situación, los padres se sienten incómodos con la idea de hablarle a sus hijos, de la posibilidad de que esta horrible cosa pudiera suceder. En su esfuerzo por proteger la inocencia de sus hijos, los padres refrenan la enseñanza que advierte a sus hijos contra los predadores, dejando a sus hijos, de esta manera, completamente sin preparación contra el ladino, normalmente una persona conocida podría ser un predador de niños. En cada área de la vida es entendido que, aquellas que están preparadas, normalmente se salvan. ¿Por qué dejar a nuestros más preciados tesoros indefensos, sin enseñarles cuándo y cómo Gritar y Contar?

La mejor esperanza de nuestros hijos(as) es tener el conocimiento provisto previamente, para estar prevenidos(as). El conocimiento de ésto, le da a la niña fortaleza. Ésto abre sus ojos al hecho de que incluso Papá y Mamá podrían no saber quién es el "chico malo". Esta advertencia, mantendrá a un niña lejos de ser manipulable. Cuando un predador potencial dice "No lo cuentes", incluso una niña muy pequeña, recordará a Sara Sú y sus pistas. Las series de libros "Gritar y Contar", fueron escritas para convertirse en una herramienta en manos de los padres, y hacerlo útil para recordarle a la niña este tema, de cuando en cuando.

Quitándole su máscara.

Un predador de niños pierde su poder cuando pierde su máscara. Este libro fue escrito con el propósito de enseñar a los niños y padres lo grave de esta verdad. Si todos los niños supieran que serán escuchados y protegidos cuando ellos gritan y cuentan, eso detendría a la mayoría de los predadores que andan por ahí cazando niños.

Sus hijos necesitan saber y tener la confianza de que ellos pueden acercarse a ustedes en cualquier momento y en cualquier lugar. Y estar seguros que ustedes están prestos para escuchar y tomar acciones para protegerlos. Ellos no van a comprender todo esto por instinto natural. Como padres, es su responsabilidad comunicar este mensaje con efectividad.

Los predadores de niños son profesionales.

Los predadores saben cómo mentir. Ellos saben qué hacer para que un niño luzca como tonto. Así mismo, los predadores saben cómo hacer sentir avergonzados a los padres, por tan sólo atreverse a sugerir que ellos (los predadores) podrían ser culpables de tan repulsivo acto.

Su hijo, por otro lado, es un niño. Él sentirá vergüenza, temor e incertidumbre, porque su joven conciencia no puede lidiar este asunto tan perverso.

El predador de niños podría usar a sus propios hijos como carnada.

Usted tiene que entender que los predadores de niños regularmente usan a sus propios hijos para obtener entrada con otros niños. El predador comúnmente es un amigo o un familiar. Él le caerá bien a tus hijos.

El predador hará que quieras creerle, que quieras quererlo, y también que le tengas aprecio. Te preguntarás por un momento si será que tal persona no es verdaderamente confiable. Tal pensamiento es tan repulsivo para ti, que, rápidamente desecharás estos pensamientos, Aunado a esto, es muy agradable tener alguien que se lleve los niños y te quite la responsabilidad de las manos por una tarde. Es un muy lamentable intercambio: tú obtienes unas cuantas horas de bendita paz, y mientras tú disfrutas eso, tu pequeña y adorable hija de tres años pierde su inocencia y comienza una vida de quebrantamiento ocasionada por este "amigo". El depredador de niños sabe cómo hacer que tu hijo se sienta culpable y responsable por lo que pasó, garantizando de manera efectiva su silencio. La mayoría de los padres se sienten tan perturbados por la idea de que su hijo esté siendo abusado que, cometen el error de hacer preguntas con tanta desesperación que provocan que el niño se asuste. Y por esa razón entra en pánico y no dice nada. Como el predador ya ha perturbado el alma y la mente de estos niños, los pobres pequeños tienen mucho temor para contar lo que realmente pasó, incluso, si se les pregunta amablemente.

Un padre DEBE ser proactivo.

Debes aprender a mirar y escuchar. Cuida a tu niña. VELA por tu niña. Toma el consejo de la mamá de Samuel y pregúntale a tu hijo "¿Qué tal si pasara tal cosa?". Haz preguntas sin provocar que tu hijo(a) sienta temor de que te molestarás con él o con ella por sus respuestas. Cada dos o tres semanas, léele a tu hija en voz alta los libros "GRITAR Y CONTAR".

Un padre debe sacrificarse.

No escojas la salida fácil. Deja a tu hijo únicamente con personas que tú estás seguro que caminan en la verdad. Y sólo para estar seguro, consulta con varias personas que han conocido a esa persona por más tiempo y pregúntales francamente: ¿Crees que hay algún motivo por el cual yo no debería dejar a mi hijo con esa persona? Date a conocer como oso despiadado que no perdonará al que llegue tocar a tu hijo.

Otros padres no entienden la importancia de estas precauciones, y tal vez se ofendan con tus preguntas, pero tú tienes que tener amigos que te ayuden a proteger a tu hijo, tal como tú estarás dispuesto a proteger a los suyos. En situaciones como esta, tu comunidad de convivencia realmente debe volverse estrecha o selecta, para evitar ambientes que puedan ocasionar daño a tu hijo(a). Si hay un predador en tu círculo de amigos y/o familia, y si este escucha que le enseñas a tus hijos y les adviertes sobre estos depredadores, él se mostrará renuente a darse oportunidad con tus hijos. Los predadores buscan a los más vulnerables.

No seas el abogado del Diablo.

La mayoría de los padres prefieren evitar atraer la mirada de su mundo social a esta horrible verdad. Ellos simplemente no quieren que su hijo sea conocido como uno que ha sido abusado. Por eso, ellos mantienen este asunto bajo cubierta. No es sólo por la vida social de sus hijos, sino por la suya también. El depredador cuenta con que los padres y las víctimas mantengan sus bocas cerradas. Él se andará con cuidado por unos cuantos meses o unos cuantos años, y después buscará otra víctima. Quiera Dios, que todos nosotros aprendamos a odiar todo lo que Dios odia, por el bienestar de los pequeños.

Recuerda la estadística – 400 víctimas infantes por cada predador serial.

Viste a tu hija por seguridad

Por loco que parezca, los pervertidos aman mirar los traseritos de las pequeñas. Toma la precaución de vestir a tu pequeña con unos shortcitos ajustados debajo de su vestido, para frustrar al pervertido. Piensa como un hombre normal respondería si llevas un vestido corto y tienes las piernas abiertas hacia arriba enseñando tus pantaletas. Los predadores de niños reciben un bufet de opciones para su lascivia en cada parque con zona de juegos para niños, e incluso, en la mayoría de las iglesias durante los cultos dominicales. Es un escalofriante pensamiento. De la forma que la pornografía infantil crece, de la misma manera aumenta el número de hombres que lujurian a los niños y niñas pequeños(as). Necesitamos ser proactivos vistiendo a nuestras vulnerables hijas.

Sé sabio, más no paranoico.

La mayoría de la gente es normal y se horroriza con la idea del abuso infantil tanto como tú. El problema es que los pervertidos se esconden detrás de caras que lucen normales. La mayoría de los abusadores de niños, viven sus vidas en paz y con éxito. Nunca nadie ha revelado lo que hacen. Por lo tanto, es común que nadie sepa nada, excepto el quebrantado y silencioso sendero de víctimas que dejan detrás de ellos. Ellos se sienten muy seguros, porque de entre los niños que ellos han violado, ninguno ha dicho nada, incluso aquellos que ya crecieron.

Pero un día llegará con seguridad un día de juicio, cuando cada perverso será revelado. Y enfrentará el terror de la ira de Dios. Yo estaré ahí observando, y me regocijaré cuando venga su calamidad.

Pero hasta que llegue ese bendito día, léele este, y el otro libro "Gritar y Contar" a tus hijos. Hazles preguntas. Presta atención a cualquier signo de temor o ansiedad en tu hijo concerniente a cualquier amigo o familiar. Nuestros hijos nos han sido dados para protegerlos y criarlos. Ellos nos necesitan.

Dile a tus hijos diariamente: "te amo y quiero mantenerte seguro, así que siempre cuéntame todo aquello que necesite ser contado, yo siempre te escucharé".